GHETTO
BROTHER

Título original: *Ghetto Brother. Warrior to Peacemaker*

© Julian Voloj & Claudia Ahlering, 2014.
Derechos acordados a través de Garbuix Agency
& Nicolas Grivel Agency

Primera edición: junio de 2015

© de la traducción: Rubén Martín Giráldez
© de esta edición: Roca Editorial de Libros, S. L.

Dirección editorial: Octavio Botana
Maquetación y rotulación: Abogal

Av. Marquès de l'Argentera 17, pral.
08003 Barcelona
info@sapristicomic.com
www.sapristicomic.com

Impreso por Egedsa
ISBN: 978-84-943326-0-9
Depósito legal: B. 12.146-2015
Código IBIC: FX
Código del producto: RS32609

Julian Voloj y Claudia Ahlering

GHETTO BROTHER

UNA LEYENDA DEL BRONX

Traducción de Rubén Martín Giráldez

SAPRISTI

2 de diciembre de 1971.

Aquí es donde murió Black Benjy...

No me puedo creer que hayan pasado ya 40 años.

Éramos jóvenes.

Por entonces Nueva York era muy distinta.

Había un montón de bandas: los Black Spades, los Savage Skulls, los Seven Immortals... Las bandas controlaban la ciudad.

En el South Bronx los reyes éramos nosotros.

Años después he visto fotos de Dresde tras el bombardeo. No sé dónde... igual en el canal de Historia.

A lo que voy: el sur del Bronx era Dresde y nosotros los Reyes de los Escombros.

Eran tiempos peligrosos.

Uno salía siempre de casa con la sensación de que podía ser el último día de su vida.

Pero también fue la mejor época que he vivido.

La vida era dura. Todo el mundo andaba metido en alguna banda.

De lo contrario estabas vendido.

Y el peligro estaba a la orden del día

Cada banda era como una familia

Las líneas divisorias las marcaban las esquinas.

Y las etnias.

Necesitabas protección

Mis hermanos y yo éramos los Ghetto Brothers. La mayoría de los miembros eran portorriqueños.

Lo creáis o no, el Bronx fue una zona codiciada en su momento.

En los años 20 y 30 era lo más. Muchas familias inmigrantes —sobre todo italianas, irlandesas y judías— se mudaron aquí desde el Lower East Side.

AL JOLSON
THE JAZZ SINGER

¿Habéis visto El cantor de jazz? Un clásico. Una fábula acerca de los inmigrantes y la identidad. Tradición vs. modernidad.

El hijo de un rabino quiere ser cantante de jazz, así que se escapa de casa.

Se acaba convirtiendo en un músico famoso y regresa para ver a su madre.

Le dice:

Madre, voy a sacarte de aquí.

¡Haré que te mudes al Bronx!

Cuando nosotros llegamos al Bronx..., bueno, entonces ya no era tan estupendo.

Los primeros en abandonar el distrito fueron los irlandeses.

Luego los alemanes.

A continuación los italianos.

Y después los judíos.

Y entonces llegó Moisés...

No, el de la Biblia no, sino...

Robert Moses, el poderoso planificador urbanístico que decidió que la Cross Bronx Expressway atravesase el distrito.

Moses desalojó a cientos de residentes y destruyó vecindarios enteros. Le importaban más los coches que las personas. El tío se cargó el Bronx.

Llegamos al South Bronx en 1963. Mis padres habían llegado a Nueva York durante la Gran Migración portorriqueña.

La ley Jones-Shafroth garantizaba la nacionalidad estadounidense prácticamente a todos los portorriqueños. Igual que habían hecho antes los negros del sur, los campesinos portorriqueños...

... emigraron en masa hacia las zonas urbanas con la esperanza de lograr una vida mejor. A finales de los 50 mis padres nos llevaron a Nueva York.

Para nosotros, Puerto Rico no era más que un paraíso de palmeras en fotografías viejas y en los recuerdos de nuestros padres. Nuestro hogar era la jungla urbana.

Ellos siguieron siendo boricuas, portorriqueños, pero mis hermanos y yo nos convertimos en nuyorriqueños. Éramos las dos cosas: neoyorquinos y portorriqueños.

Nos mudamos aquí desde Greenwich Village...

...que era un vertedero.

Pero el Bronx no era mucho mejor.

Éramos refugiados de lo que Robert Moses llamó «proyecto de renovación urbanística». Se dedicó a desmantelar los suburbios de

Greenwich Village, Little Italy, el Soho y Chinatown para hacer sitio a los edificios de oficinas, los altos bloques de apartamentos y, por supuesto, los ocho carriles de la Lower Manhattan Expressway.

Un proyecto absurdo al que puso fin una campaña ciudadana a finales de 1962.

Mi familia se unió al éxodo de aquel segundo Moisés camino al Bronx. Al principio nos instalamos...

...junto a la Cross Bronx Expressway; luego nos mudamos al sur de Crotona Park.

Nueva York no se parecía en nada a Puerto Rico. La vida no era fácil aquí (sobre todo en invierno).

Hasta entonces mis padres no habían visto nevar.

En nuestro barrio había muchos portorriqueños, gente con idénticas vivencias de fe y fracaso.

Aquello era como un San Juan en miniatura.

Pero aunque todos pareciésemos iguales, mi familia se distinguía del resto de portorriqueños.

Siempre fui consciente,

pero no se lo dije a nadie.

Los domingos, nuestros padres nos arrastraban con ellos a la iglesia. Íbamos todos.

No faltaba ni uno.

Pero los sábados

...los míos hacían las cosas a su manera.

¡Bajas, Benjy?

Es sábado.

¿Y qué?

Vamos a leer la Biblia con mi padre. ¿Tú no?

¿En sábado?

Mis padres tenían unas extrañas tradiciones. Cada viernes, mi madre bajaba las persianas y encendía dos velas.

Luego se tapaba los ojos como si la luz la deslumbrase.

Mi padre se metía en su cuarto, se envolvía en una sábana y se ponía a meditar.

Cuando les pregunté por aquello...

...me contestaron:

La religión de tu padre es un poco extraña.

La religión de tu madre es un poco extraña

Y así quedó la cosa.

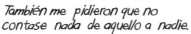

También me pidieron que no contase nada de aquello a nadie.

Si el día festivo es el domingo, ¿por qué siempre nos reunimos los sábados?

No siempre había respuestas para todo.

Mi padre tenía una tiendecita de comestibles.

Todo el mundo lo conocía.

Todos lo querían.

Sin embargo, a nosotros no todos nos tenían aprecio.

¿Qué pasó?

Nada.

Me uní a los Cofon Cats, una banda local, para estar protegido.

Para entrar en una banda tenías que atravesar lo que llamaban la «Línea Apache».

Si no eras capaz de llegar al final...

... tenías que empezar de nuevo.

A mis padres no les hizo ninguna gracia cuando me vieron.

Pero yo estaba radiante.

Ahora formaba parte de una banda.

Mis padres no llegaron a aprender inglés.

¿Adónde vas?

Con mis amigos. Habla en inglés, papá, ¡que estamos en América!

¡No me hables así! ¡Soy tu padre!

Disculpa.

Ya sabéis de qué va lo de ser joven...

Uno quiere encajar. Quiere formar parte de algo. Nosotros, sus niños, éramos americanos.

Creo que les costó aceptarlo.

Por más que uno crea que ya es mayor, los padres nos tratan siempre como si fuésemos niños.

Todos los sábados, mi madre me enviaba con mis hermanos a la lavandería.

Tenía 15 años la primera vez que vi a Mei-Lin.

Su padre era el dueño de la lavandería del barrio; la única que había por allí.

Al principio no me gustaba ir, pero con el tiempo... bueno, me comporté como un buen hijo y me ofrecí a encargarme de la ropa.

Mis hermanos se reían de mí porque me tocase aquella tarea de mujeres.

Pero la verdad es que me gustaba.

Ey...

¡Ey!

¿Cómo te llamas?

Mei-Wen

Encantado de conocerte, Mei-Wen. Yo soy Benjy.

Encantada.

Tuvo que traerse a su hermana pequeña a nuestra primera cita, así que me llevé a mi amigo Ray. Al final de la tarde yo estaba con Mei-Lin, la hermana, y Ray con Mei-Wen.

Bueno, para ser sinceros, ni mis padres ni los suyos se alegraron de nuestra relación.

No estoy seguro de lo que ha dicho, pero intuyo que nada bueno.

SLAM!

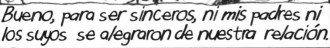

Ray y Mei-Wen rompieron. Mei-Lin y yo continuamos saliendo.

La primera vez que la llevé a casa mis padres sufrieron un pequeño shock cultural.

¿Es china?, preguntó mi madre en español, dando por hecho que ella no la entendería. La mayoría de los clientes de la lavandería eran hispanohablantes. Y tanto que la entendió.

Es americana, como yo.

No sabe nada de nuestra cultura, nuestra comida, nuestra religión...

Yo le enseñaré.

¡No sabe quiénes somos!

¿Quiénes somos? Ni siquiera yo lo sé.

Mei-Lin se quedó callada y fingió que no entendía lo que decíamos.

Tuvieron que acostumbrarse.

Años después, cuando le dije a mi madre que íbamos a casarnos, se echó a llorar...

...pero no eran lágrimas de felicidad.

No lloro por mí, lloro por ti.

No va a funcionar.

Desde luego, no la creí.

Aunque al final tuvo razón.

Pero eso sucedió mucho después.

¿Quihubo? ¿Cómo va eso, tíos?

He oído que tienes la fiebre amarilla

¿Tendremos que llamarte Benjy el Amarillo?

JA... JA

¿Tienes algún problema con mi novia?

¡Ey, que solo te está tomando el pelo!

¡Solo era un chiste, colega!

No te ofendas.

Tras un tiempo con los Cofon Cats, mis hermanos y yo decidimos formar nuestra propia banda.

Queríamos ser nuestros propios jefes.

Los Ghetto Brothers nacieron en un año lleno de muertes.

Primero: The New York Times

Martin Luther King, Asesinado

Luego: DAILY NEWS

Robert Kennedy ha muerto

Y la guerra de Vietnam proseguía sin tregua...

En los 60 existía una gran división entre negros y portorriqueños.

No apreciábamos demasiado la cultura del otro.

Qué ironía: por culpa de la pobreza compartíamos los mismos barrios.

Pero en lugar de luchar juntos contra el culpable, veíamos en el otro al enemigo.

En cierto modo, las bandas acercaron a negros y portorriqueños. En muy pocas bandas había segregación.

Las bandas eran algo territorial

Luego algunos se referirían a aquella zona como «el casco urbano», pero nosotros lo llamábamos simplemente «el Gueto».

De modo que mis hermanos y yo nos hicimos llamar Ghetto Brothers.

Defendíamos nuestra zona de influencia.

Si cruzabas nuestro terreno sin permiso...

...te habías metido en un buen lío. ¡Madre mía, nos lo pasábamos en grande!

AAAAAGH

En la antigua Inglaterra, los caballeros tenían sus escudos de armas.

En el gueto, cada banda tenía su escudo de armas, sus colores.

Al principio de todo, las bandas se pintaban los colores en la parte de atrás de las chaquetas.

Pero entonces aparecieron los Ángeles del Infierno.

Todas las bandas querían tener pinta de malvados y aterrorizar a la gente.

SAVAGE SKULS

Y creedme, en eso los Ángeles del Infierno se llevaban la palma.

Ellos no llevaban los colores pintados, sino que se cosían parches.

HELLS ANGELS
MC
NEW YORK

Necesitamos algo así. ¡Algo que pegue el cante!

A lo mejor deberíamos ponernos calaveras, o...

...la cosa nazi esa, como se llame.

Eso, la cruz nazi.

¡Eso sí que es chungo!

¡Eso!

¡Eso!

¡Es

Vaya chorrad..

Necesitamos algo que nos represente. No somos nazis.

¿Tú sabes lo que fueron los nazis?

Y se le llama esvástica.

La verdad es que la palabra la conocía gracias a la señorita Rita, mi profesora.

Estaba en clase sin prestar atención,

dibujando.

Todo tipo de cosas.

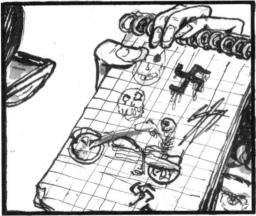

¿Sabes lo que significa esto?

Pues...

Tendré que hablar con tus padres.

Pero antes me echó un sermón. Tuve que admitir que no sabía qué significaba aquel símbolo. No sabía lo que habían hecho los nazis.

Sabía que eran viles y malvados,

pero no tenían ni idea de qué habían hecho. La profesora era judía. Eso tampoco lo sabía. Me sentí fatal.

Que sea la última vez.

Benjy, queremos parecer chungos.

¡Hagamos lo de la esvasticana esa!

No nos hace falta para parecer chungos.

¿Por qué?

Porque lo digo yo.

Tras debatirlo un rato decidimos lo que queríamos llevar.

Los cubos de basura simbolizaban las ruinosas condiciones de nuestro entorno, las terribles condiciones de vida del South Bronx.

Pronto todas las bandas llevaron los colores de aquella manera. Todos teníamos una pinta dura, macarra, desastrada, con nuestras chaquetas de mangas recortadas.

Cuando uno entraba en el territorio de otra banda se quitaba los colores en señal de respeto.

Actuábamos con respeto y obteníamos respeto.

Si alguien atravesaba el barrio de otros sin quitarse los colores se convertía en un blanco. Si te cogían te daban una buena paliza.

En el Bronx había más de 100 bandas con más de 10.000 miembros.

Los Ghetto Brothers fuimos una de las más grandes. Contando solo el Bronx, teníamos 2.000 miembros, y había ramas de la banda en Nueva Jersey, Connecticut y otras ciudades.

Éramos legión.

¿Cuál fue el secreto de nuestro éxito?

Habilidades para el liderazgo.

Un creciente radio de acción.

Me gusta ese tío.

Un reclutamiento meticuloso.

Unos buenos relaciones públicas.

Diplomacia.

Capacidad para formar alianzas.

Y acciones hostiles algunas veces.

Las bandas se apoderaron de los edificios abandonados y los transformaron en sus clubes particulares.

Turbans, Peacemakers, Mongols, Roman Kings, Seven Immortals, Dirty Dozens, Black Spades... había muchísimas bandas por aquel entonces en Nueva York.

Las bandas eran como una familia.

Te procuraban refugio, confort, protección.

Si tenías un pro-
blema acudías a
la banda.

Dwyer High era donde se concentraban todas.

Una vez un chaval se pasó con
la hermana de un Savage Nomad.

Gran cagada.

El cuartel general de los Ghetto Brothers.

¿Qué le pasa a Black Benjy?

¿Por qué está tan cansado?

Me crié con Black Benjy. Vivíamos en la misma calle. Todos lo llamaban así porque era afroamericano.

¿Por qué está tan cansado?

No está cansado, ¡está colocado!

¿Qué quieres decir?

¿Tú también, Flaco?

Los drogas comenzaron a infestar la zona.

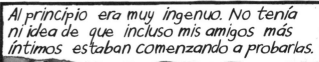
Al principio era muy ingenuo. No tenía ni idea de que incluso mis amigos más íntimos estaban comenzando a probarlas.

Yo no las tomaba, y quería que los Ghetto Brothers se mantuviesen al margen.

¡Desintoxicadlos!

¡DEJADME SALIR!

¡HIJOS DE PUTA!

Las drogas trajeron otros problemas.

La gente se volvía adicta;

y los yonquis necesitaban dinero para conseguir un pico.

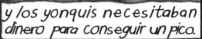

Atracos, desvalijamientos, robos...

Incluso a mi padre lo encañonó un día un yonqui.

La poli pasaba de nuestro barrio como de la mierda.

De modo que tuvimos que arreglar el estropicio por nuestra cuenta.

Nos deshicimos de los yonquis y de los camellos de nuestras calles.

Irrumpimos en los antros donde se chutaban y les advertimos de que tenían 24 horas para marcharse o las cosas se pondrían feas.

Y así fue.

Cuando mis padres se enteraron de lo de los Ghetto Brothers no les hizo ninguna gracia.

Mi padre no entendía que, por primera vez en mi vida, yo era alguien.

La gente me admiraba.

Imagino que simplemente les daba miedo la idea de que nos pasase algo a mis hermanos y a mí.

Una noche apuñalaron a mi hermano Víctor.

Supusimos que detrás de aquello estaban los Mongols.

Nos vengamos machacando a todo aquel de los suyos que tuvo la mala suerte de cruzarse con nosotros.

Pero la violencia engendra más violencia.

¡MIERDA!

¡Hijos de puta!

Bang

BAM

En mayo tirotearon a tres Ghetto Brothers frente a nuestro club. No murió nadie...

Pero parecía cuestión de tiempo...

Pertenezco al partido Pantera Negra de Autodefensa.

¿Qué te cuentas?

No sé.

Espérate.

Quiero hablar con vuestro líder, ¿puede ser?

Me llamo Joseph Matumaini. ¿Eres Benjamin?

Pues sí

44

Represento a la Delegación de la Costa Este del partido Pantera Negra de Auto-defensa.

Sé bienvenido al Cuartel General Universal de los poderosísimos Ghetto Brothers.

JA JA JA JA JA JA

Siéntate, hermano.

Joe me cayó bien desde el primer momento. Tenía mucho que decir.

Las otras bandas no son el enemigo. El auténtico enemigo es quien está oprimiendo a nuestras comunidades.

Nos habló de educación, de asistencia médica, de la falta de oportunidades laborales.

La razón estaba de su parte.

Este asunto de las bandas se está descontrolando. Malgastáis tiempo y energía luchando entre vosotros en lugar de contra el verdadero enemigo.

Tenemos que acabar con la violencia.

Los Ghetto Brothers fueron la primera banda que tanteó.

Se le ocurrió que, si nos convencía, otros nos seguirían.

Joe plantó una semilla en mi corazón

¡Benjy ha muerto!

¿Qué pasó?

¡DIOS MÍO!

A mi madre le costó unos instantes comprenderlo, pero no fui yo quien murió aquel día.

Fue Black Benjy.

Aquel día todo cambió.

La violencia iba en aumento. Noviembre había supuesto el apogeo de aquellas batallas.
Se celebró una reunión de emergencia en Central Park, pero no sacamos nada en claro.

Nos llegó la noticia de que los Mongols, los Seven Immortals y los Black Spades estaban entrando en nuestro territorio y atacaban a la gente.

Le pedí a Black Benjy que mediase entre las partes.

La mayoría de las bandas contaban con «comandantes».

Tíos que se dedicaban a almacenar arsenal, enseñar a otros miembros tácticas de combate y técnicas militares y negociar sitio y hora de las broncas.

Tras la reunión con Joe decidí que los Ghetto Brothers tendríamos un Consejero de Paz.

Black Benjy tenía fama de ser un tío sereno, y yo confiaba en que sabría evitar un altercado.

Vamos a ver, hermanos: estamos aquí para poner paz.

Vengo en son de paz.

GHETTO BROTHERS

¡Y UNA MIERDA, PAZ!

¡CLONC!

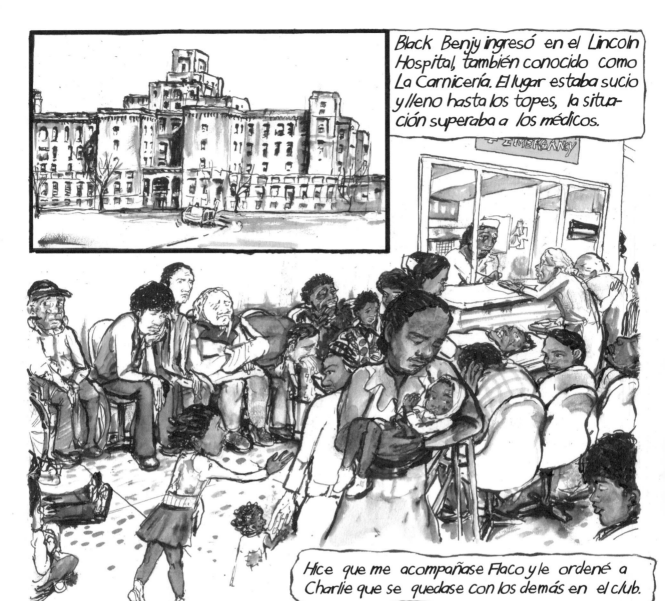

Black Benjy ingresó en el Lincoln Hospital, también conocido como La Carnicería. El lugar estaba sucio y lleno hasta los topes, la situación superaba a los médicos.

Hice que me acompañase Flaco y le ordené a Charlie que se quedase con los demás en el club.

Charlie era mi mano derecha.

Se había alistado en los marines, pero luego se hizo objetor y se unió a los Ghetto Brothers.

No pinto nada luchando en Vietnam cuando se está librando una guerra en nuestra propia casa.

Se quitó el uniforme del ejército y se enfundó el uniforme de las calles.

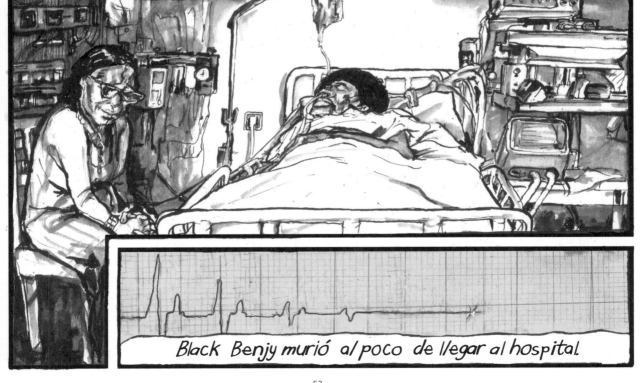

Black Benjy murió al poco de llegar al hospital.

En el club, Charlie se preparaba para la guerra.

¡Ha muerto!

54

¿Qué vamos a hacer?

Vengarnos, por supuesto. Vamos a masacrar a esos hijos de puta.

Charlie quería venganza. Estaba listo para la batalla.

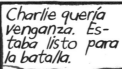

Aquí no se mueve ni Dios hasta que yo lo diga, ¿entendido?

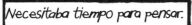

Necesitaba tiempo para pensar.

No tenía claro qué hacer.

Quedé con Mei y le conté lo sucedido.

Ben, tengo que decirte algo.

¿Qué, cariño?

...

Nada. Puede esperar.

Lo que se rumoreaba por ahí era que el asesino era un antiguo Ghetto Brother llamado Julio, que se había unido luego a los Seven Immortals.

Charlie envió a un montón de Ghetto Brothers a cazarlos.

¡Os voy a volar los sesos, **mamones de mierda**!

Cuando volví al club, Charlie había capturado a tres Mongols y a dos Immortals; uno de ellos era Julio.

No vas a hacer nada.

Black Benjy murió por la paz; si ahora te vengas y declaras la guerra harás que su misión sea en vano.

Su misión ya ha sido en vano. Estos cabronazos asesinaron a Black Benjy, ¿y tú quieres salvarle la vida a este capullo hijo de puta que se cargó a uno de los nuestros?

En ese preciso momento apareció en el club el presidente de los Black Spades.

Créeme, hermano, los Black Spades no tenemos nada que ver con ese asesinato, pero si nos quieres de tu lado en la guerra solo tienes que decirlo.

Se sucedieron las visitas de otros presidentes. Venían al club de los Ghetto Brothers para mostrarnos su apoyo y presentar sus respetos. Nunca había sucedido algo así.

Charlie puso en libertad a los prisioneros.

Charlie, ven conmigo.

60

Fuimos a visitar a la madre de Benjy.

Tú ganas, Ben.

Aquí no gana nadie, Charlie. O dejamos de matarnos o perdemos todos. Hemos de dar ejemplo a los demás.

Creo que no voy a ser capaz.

Sé que puedes. Podemos. Solo los venceremos dándoles una lección. Sin venganzas. Los Ghetto Brothers propondrán un tratado de paz para todas las bandas.

Algunos se cabrearon. Dijeron que éramos unas nenazas. Muchos clamaban venganza. Querían que desafiásemos a los Seven Immortals.

Los Ghetto Brothers repartimos un decreto proponiendo una reunión de los líderes de todas las bandas del Bronx el 8 de diciembre a última hora en el pabellón de deportes...

...de:

Y allí se presentaron, negros y mulatos.

Una lista casi interminable de bandas.

Fue una reunión sin precedentes. Jamás se había visto juntos a los líderes de todas las bandas bajo un mismo techo.

El ambiente era tenso, saltaban chispas.

En los edificios cercanos había francotiradores apostados.

Cámaras de televisión,

fotógrafos, reporteros...

Nunca nos habían prestado tanta atención como aquel día.

La reunión tuvo lugar en el gimnasio.
Las gradas estaban abarrotadas de trabajadores sociales, profesores, periodistas y pandilleros.
Los presidentes de las bandas se sentaban en sillas en el centro.

Charlie presidió la reunión.

El primero en hablar fue Marvin, un veterano de Vietnam y miembro de los Savage Skulls.

Todos lo llamaban Hollywood.

Cuando me enteré de que Benjy había muerto...

...le dije a Charlie, de los Ghetto Brothers, que me llevaría a alguien por delante. Charlie me pidió que no lo hiciese, así que me estuve quieto.

Si los Ghetto Brothers quieren paz, tendrán paz.

Señaló a los Seven Immortals, a los Mongols y a los Black Spades y los acusó de atacar a los Skulls y robarles los colores.

Bambam, presidente de los Black Spades, se levantó y acusó a los Skulls de invadir su territorio armados con escopetas.

La cumbre por la paz estaba a punto de irse al traste.

Charlie acalló a la multitud con una sola palabra.

Lo único que hicimos

Fue pedirles los colores a los tuyos, y los tuyos se resistieron.

Nadie le ha quitado las chaquetas a los tuyos, colega.

Nadie le ha quitado las chaquetas a los turbans, nadie le ha quitado las chaquetas a los Ghetto Brothers.

Nadie le ha quitado las chaquetas a nadie.

Cuando necesitamos desquitarnos nos buscamos la vida, colega,

... porque, mira, al final resulta que tenemos que convivir en este distrito.

¡Plas!

¡PLAS!

Después de Hollywood, otros pandilleros expusieron su frustración hacia el sistema y el deseo de cambiar su entorno.

La atmósfera fue cambiando.

Vi a Julio sentado en las gradas en silencio. Muchos sabían que era él quien había matado a Black Benjy.

Me tocó hablar a mí. Era consciente de que tenía que aludir al asesinato y marcar al mismo tiempo el rumbo futuro.

Darle una paliza a esos tíos no nos va a traer de vuelta a Black Benjy...

No tendría que haber pasado, pero sucedió.

Encarguémonos de que no vuelva a suceder.

Percibía la energía de aquella sala. Sabía que en lugar de estallar y montar una reyerta podríamos canalizarla para crear algo positivo. Seríamos capaces de construir la paz.

Black Benjy nunca buscaba follón. Podría entender que le hubiesen dado una paliza. En serio.

Pero ¿matarlo? Eso es otra cosa, tío.

Nos arrebataron a un hermano, tío.

Todos queréis salir con vida de esta, ¿o no? Yo sí. Todos. Pues Benjy no salió con vida, Benjy la palmó.

La cosa es que queremos contribuir a que los negros y los portorriqueños vivan en un entorno mejor.

Eso queremos todos.

Podemos lograrlo... juntos.

¿Lo pilláis o no?

Aquella noche se firmó la tregua.

A todos los hermanos y hermanas:
Damos por hecho que somos todos hermanos que vivimos en los mismos barrios y sufrimos los mismos problemas. Nos percatamos también de que pelear entre nosotros no va a resolver nuestros problemas comunes. Si pretendemos hacer de nuestra comunidad un lugar mejor para nuestras familias y nosotros mismos, hemos de trabajar codo con codo.

Todos los que firmamos este tratado declaramos paz y unidad para todos. Todos los que firmamos este tratado seremos conocidos en adelante como La Familia.

Las condiciones de la paz son las siguientes:

1. Todos los grupos deben respeto al resto de bandas, a sus integrantes y a sus mujeres. Cada miembro de una banda de la Familia puede llevar sus colores en el territorio de otras bandas sin que se le moleste. Solo deben recordar dónde están y respetar el territorio como si fuese el suyo propio.

2. Si una banda tiene un encontronazo con otra, los presidentes de ambas se reunirán para dialogar. Si un miembro de una banda tiene un enganchón con un miembro de otra, ambos han de solucionarlo mediante el diálogo. Si esto no resuelve las cosas, entonces pelearán uno con el otro hasta que consideren zanjada la cuestión. Si se rumorea que una banda va a por otra, los líderes de ambas se reunirán y lo hablarán.

3. En cuanto a las bandas al margen del Tratado de Paz, los presidentes de la Familia se reunirán con dichos grupos para explicarles las condiciones de la paz. Se les ofrecerá la oportunidad de:

    a. unirse

    b. disolverse

    c. ser disueltas

4. Los presidentes de la Familia se reunirán de vez en cuando para debatir sobre las preocupaciones de los grupos.

Esta es la paz que nos comprometemos a mantener.

Paz entre todas las bandas y una unidad poderosa.

Nadie le chivó a la policía la identidad del asesino de Black Benjy. Poco después de la reunión, Julio se marchó del barrio para siempre.

El funeral de Black Benjy fue muy emotivo.

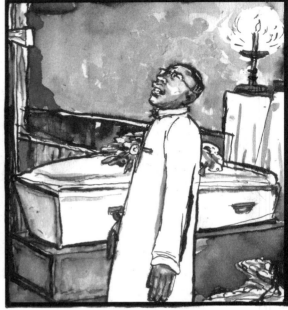

Nada volvió a ser igual después de la muerte de Black Benjy.

El barrio cambió.

Tras la tregua, el mundo se expandió.

Podíamos asistir a fiestas en barrios que no habíamos pisado jamás, independientemente de los colores que vistiésemos.

La cuadrícula del territorio se iba desintegrando poco a poco.

Los antiguos comandantes se hicieron DJ's, y las batallas se libraban en la pista,

a base de pasos de baile combinados con toques de artes marciales.

Al este...

siguiendo el ejemplo de la tregua, el comandante de los Black Spades decidió transformar su banda en algo positivo.

Los Black Spades...

Al oeste, donde se tiende el puente de Washington que conduce a Manhattan...

Bronx

DJ Kool Herc montaba las fiestas más chulas. En sus tiempos había formado parte de los Cofon Cats.

UNA FIESTA DE DJ KOOL HERC
JAM DE VUELTA AL COLE
LUGAR: 1520 DE AV. SEDGWICK & REC ROOM
DÍA: 11 DE AGOSTO DE 1973
HORA: de 21:00 a 4:00
PRECIO: 25$ ELLAS
50$ ELLOS
ANFITRIÓN: KOOL HERC
INVITADOS ESPECIALES: Coco, Cindy C., Klack, Timmy T.
Seguimos ya va cociones

Nos casamos. Como ni a mis padres ni a los suyos les hacía demasiada gracia, la cosa fue bastante desangelada.

Encontramos un estudio cerca del estadio de los Yankees.

Lo siguiente era encontrar trabajo.

La fundadora de United Bronx Parents, una iniciativa que actuaba como portavoz de la gente del barrio.

La señorita Rita me puso en contacto con Evelina López Antonetty

El Bronx no va a dejar de luchar, por más que hayan arrasado con todo lo que nos rodea. Viviremos en tiendas de campaña si hace falta antes que marcharnos de aquí. Resistiremos.

Estamos dispuestos a todo. No van a echarnos de aquí. Me siento tremendamente unida a este lugar y no pienso irme.

La United Bronx Parents presionó para lograr un programa de educación bilingüe, favorecer el empleo de minorías, dar formación a los padres, y comenzó a desarrollar nuevos servicios como bancos de alimentos de emergencia.

Mi conexión con los Ghetto Brothers contó como un plus.

Los Ghetto Brothers comenzaron a ayudar a distribuir comida y ropa en la comunidad. La UBP nos proporcionó un objetivo tangible.

Incluso aquellos a quienes antes de la tregua no le gustaban las bandas nos respetaban ahora por mejorar la vida en el barrio.

No es por molestar, pero esto está lleno de familias con niños.

¿Te importaría irte con tu rollo a otra parte?

Recuperamos edificios abandonados.

Al mismo tiempo, la influencia de los Young Lords iba en aumento en el East Harlem y en el South Bronx.

Los Young Lords no eran una banda, sino más bien un movimiento. El equivalente portorriqueño de los Panteras Negras, centrados en la injusticia policial,

los derechos de los inquilinos, la educación

y otros asuntos propios de la lucha revolucionaria.

Los Young Lords no eran del agrado de todos, pero sus ideas sí nos gustaban.

Los Ghetto Brothers comenzamos a debatir sobre la independencia de Puerto Rico y a organizar protestas.

y liberar a nuestro país del colonialismo y del capitalismo. Los norteamericanos están tratando de robarnos la identidad como portorriqueños.

Vivimos bajo la opresión de los yanquis. Como portorriqueños, debemos alzarnos contra los opresores

Nos llaman americanos, pero somos portorriqueños desde que nacimos y lo seremos hasta el día de nuestra muerte.

A mi padre no le entusiasmaba mi recién descubierto nacionalismo.

Nos vas a meter a todos en un lío.

¿Por qué? ¿Porque digo la verdad? ¿Porque soy antiamericano?

¿Antiamericano? ¡Qué estupidez! Si eres antiamericano dame los dólares que llevas. ¡Todos!

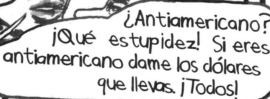

¿Cómo? No... El dinero me hace falta. Tengo que pagar el alquiler.

Entonces no me vengas con antiamericanismos. Vives aquí. Ganas aquí tu dinero y tienes familia aquí. No sabes cómo era la vida allí; eres americano, te guste o no.

Era imposible conseguir que mi padre se enorgulleciese por lo que hacía

Hacia mediados de los 70 las bandas comenzaron a disolverse. Volvió la violencia, a pesar de la tregua, pero era menos organizada.

La heroína había entrado en el Bronx y campaba ya por todas partes, y con ella el crimen.

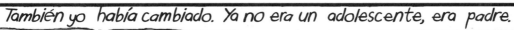

También yo había cambiado. Ya no era un adolescente, era padre.

Era un caluroso día de verano, asfixiante y bochornosa.

Ey, Ben. ¿Qué tal?

Traigo noticias.

¿Qué noticias?

Voy a dejarlo.

¿Dejar qué?

Los Ghetto Brothers.

¿Qué? No puedes dejar a los Ghetto Brothers.

Sí que puedo.

No puedes marcharte. Eres nuestro líder.

La cosa no tira. Siempre vais a ser mis hermanos.

Pero no puedo seguir con esto.

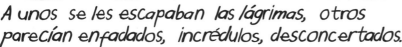

A unos se les escapaban las lágrimas, otros parecían enfadados, incrédulos, desconcertados.

Al día siguiente me llevé una sorpresa terrible.

¿Qué te pasa, cariño?

¡Tenemos que salir de aquí!

¿Qué ha pasado?

Después de eso, la señorita Rita me ayudó a encontrar otro puesto de trabajador social en Jersey. Aunque ya no fuese su alumno, mantuvimos el contacto. Llegó a ser parte de mi familia y de vez en cuando la visitaba en el Village.

¿Cómo van las cosas?

Bien, dentro de lo que cabe. Ser adulto lo cambia mucho todo.

¿Y qué tal es ser padre?

Me encanta ser padre, pero caray, ¡no sé ni cómo lo hago para ir tirando con lo poco que duermo! Aunque todo va bien.

¿Quién es?

Mi padre. La foto es de su bar mitzvá.

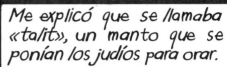

Me explicó que se llamaba «talit», un manto que se ponían los judíos para orar.

¿Qué es eso que lleva puesto?

Tras unos titubeos le hablé de mi padre, del recuerdo de verlo envuelto en la sábana los viernes.

Luego le conté lo de mi madre encendiendo velas.

Me acordaba de otras cosas.

Me acordé de que mi madre compraba pan en panaderías judías los viernes, lo tapábamos y nos lo comíamos con el almuerzo. Sabía que era pan judío, pero no lo llamábamos así, sino «pan de dulce».

¿Por qué te gusta tanto hablar del Antiguo Testamento?

No te preocupes.

¿Qué hay del Nuevo Testamento? En casa no lo leemos nunca.

Se limita a repetir lo que ya se dijo en los cinco primeros libros.

Ama a tu prójimo...

Eso no lo inventó Jesús, ya aparece en el Antiguo Testamento.

¿Y qué hay de Jesús?

Jesús fue un rabino judío nacido en Israel.

Benjamin, te va a sonar raro, pero creo que tus padres son «marranos».

¿¿¿Cerdos??? Pero ¿qué dice? No me entero.

Los españoles llamaban «marranos» a los descendientes de judíos bautizados que continuaban practicando el judaísmo a escondidas.

Me sugirió que leyese más sobre aquellos judíos ocultos.

… fue el mismo en que la reina Isabel expulsó a los judíos de España.

1492

El año en que Cristóbal Colón descubrió América…

El 30 de marzo se decretó la expulsión y se les dieron solo cuatro meses para llevarla a cabo.

Fueron obligados a vender sus casas y negocios a precios ridículos, los curas los animaban a convertirse al cristianismo.

No se sabe con exactitud cuántos judíos vivían en España en aquel momento, pero se estima que unos 250.000 fueron expulsados y decenas de miles fueron asesinados mientras intentaban ponerse a salvo.

Se trata de una de las mayores tragedias de la historia judía.

Cuatro días después de la expulsión, Colón se echó a la mar.

En la expedición viajaban muchos judíos, entre ellos Luis de Torres, el intérprete, que se había convertido poco antes de partir.

Hay quienes creen que incluso Colón tenía raíces judías.

Los refugiados judíos terminaron en África del Norte, el Imperio otomano y otros muchos sitios. Aquellos que huyeron a la vecina Portugal no hicieron sino prolongar la pesadilla. En 1496, Portugal expulsó a los judíos después de que Manuel de Portugal se casase con la reina Isabel de España.

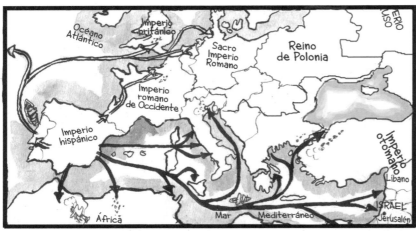

Dado que la conversión suponía una alternativa a la muerte, muchos se hicieron cristianos, si bien algunos continuaron practicando el judaísmo a escondidas.

Pero los fanáticos de la Inquisición persiguieron a aquellos «nuevos cristianos», a los que llamaron cerdos, «marranos».

Leí a destajo.

Era una historia de la que jamás había oído hablar.

También era mi historia.

Mamá, soy Benjamín.

Llamé justo para enterarme de las malas noticias.

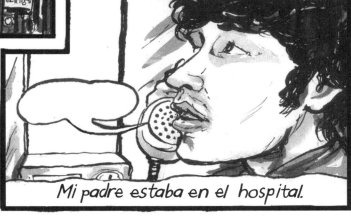

Mi padre estaba en el hospital.

Me vi de nuevo en el hospital Lincoln para descubrir que alguien cercano a mí había muerto.

Volví a mi viejo barrio.

Sabía que muchas de las iglesias de la zona...

... habían sido sinagogas, pero recordé...

... que había una que seguía abierta.

¿Esta iglesia judía está abierta?

La llamamos sinagoga, y sí: está abierta.

¿Quién eres?, si no te importa que lo pregunte.

Soy un judío de España y vengo a recuperar mi herencia.

Pues yo soy el rabino Moishe. Bienvenido al Intervale Jewish Center.

En los años 30 alrededor de 600.000 judíos vivían en el Bronx,

casi la mitad de la población del distrito. En cada esquina había una sinagoga.

El Intervale Jewish Center era la última que quedaba en South Bronx. Sus miembros eran un puñado de viejos europeos del este demasiado testarudos para marcharse.

Yo me acuerdo de ti, tú estabas con las bandas.

Sí, señor.

¿Cómo te llamas?

Melendez.

Ese nombre no es judío, es español.

¿Usted cómo se llama?

Gottesmann.

Ese nombre no es judío, es alemán.

Los miembros del Intervale Jewish Center se convirtieron en mi nueva banda...

...una cuadrilla de ancianos...

...cuyos hijos se habían marchado del Bronx como una década atrás.

La mayoría eran supervivientes del Holocausto

... y como habían vivido un infierno en la Europa de Hitler, las bandas no les asustaban.

El rabino Moishe fue mi profesor.

Lo primero que hizo fue enseñarme a ponerme el talit.

Al envolverme en el manto de oración me sentí profundamente conectado con mi difunto padre.

No le dije a Mei nada de mis idas y venidas al antiguo barrio.

Te he llamado al trabajo y me han dicho que hoy no habías ido. ¿Dónde coño estabas?

Tenía que hacer unos recados.

¡No me vengas con gilipolleces! **DIME LA VERDAD.** ¿Tienes un lío?

No.

Entonces, ¿dónde estabas?

Pero ¿qué? Me estás engañando

y no tienes cojones para decírmelo. ¿CON QUIÉN ME LA ESTÁS PEGANDO?

No te lo puedo contar.

¡Mentiroso!

No, cariño, no te miento, pero...

En mi antiguo barrio, continué viéndome con el rabino Moishe.

Y en casa seguí peleándome con Mei.

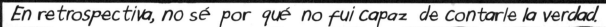

En retrospectiva, no sé por qué no fui capaz de contarle la verdad.

Es la banda. Has vuelto con la banda.

Que no, chinita.

En aquellos tiempos no me encontraba bien. No me sentía preparado para contárselo a nadie.

No me mientas. La gente te ha visto de nuevo por el barrio. Sales por ahí con tus antiguos colegas, ¿verdad?

Te importan más que tu familia.

Estaba intentando descubrir quién era.

Entonces me dejó. Un día volví de estudiar con el rabino Moishe y me encontré una nota.

Llamé a su hermana, pero no me dijo dónde había ido Mei.

Hacía algún tiempo que las cosas no marchaban, pero yo había ignorado las señales.

Y para entonces ya era demasiado tarde.

Se había ido.

Semanas más tarde me envió la petición de divorcio.

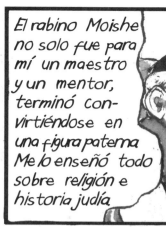

El rabino Moishe no solo fue para mí un maestro y un mentor, terminó convirtiéndose en una figura paterna. Me lo enseñó todo sobre religión e historia judía.

Hubo una historia que me interesó particularmente.

Sí, rabino. Yo fui quien la fundó y quien dio con el nombre.

Tu banda se llamaba Ghetto Brothers, ¿verdad?

¿Sabes lo que es un gueto?

Ehmmm... ¿un barrio de mala muerte?

El rabino Moishe me explicó que la palabra «gueto» se había usado durante siglos para describir una zona donde se obligaba a vivir a los judíos. A él mismo, durante la Segunda Guerra Mundial, lo relegaron a un gueto, donde perdió a la mayor parte de su familia.

Sin embargo, el primer gueto fue el de Venecia, en Italia, y su existencia se remonta al siglo XVI.

En dialecto veneciano, la palabra «ghetto» significaba «fundición», y una fundición es lo que había en la isla que habitaban los judíos. Una isla pequeña y sucia.

En la época en que se fundaron los Ghetto Brothers yo no tenía ni idea del origen de la palabra ni de la relación que guardaba con mi propia herencia.

Le conté al rabino Moishe mis temores. ¿Por qué me daba tanto miedo contarle a la gente que era judío?

¿Por qué padecía aquel conflicto interno? ¿De qué tenían miedo mis padres?

¿Por qué no se lo contaron a nadie?

No se lo cuentes a nadie.

Tus padres, tu familia y tú padecéis el síndrome de la Inquisición española, pero en lo más profundo de vuestro corazón siempre habéis sabido que erais judíos. La máscara que llevas puesta ahí fuera puedes quitártela aquí.

Tenía razón.

2011

Al morir el rabino Moishe el centro cerró. La gente abandonó la zona.

La última sinagoga del South Bronx había cerrado sus puertas para siempre.

Cambié de tercio, comencé una nueva vida.

Y entonces, hace un par de semanas, recibo una carta de mis hijos.

Mi hijo y mi hija, que nació después de que Mei se marchase.

tengo una hija a la que aún no conozco.

Tengo una hija

Mis hijos ya no son niños. Son adultos. Y quieren conocerme.

Por eso estoy aquí.

Mis chicos han tomado la iniciativa y han querido conocerme.

Y yo voy a contarles quién fui y quién soy.

APÉNDICE

Benjamin Melendez no ha dejado nunca el Bronx. Ya no vive allí, pero sigue visitando a menudo los escenarios de su infancia.

En 2010, cuando lo conocí, me contó la historia de Black Benjy, su amigo al que asesinaron mientras intentaba mediar entre las bandas que se preparaban para la guerra. «Black Benjy murió por la paz», me dijo. Y era él, Benjamin Melendez, quien lo había enviado al frente. Sus ojos empañados evidenciaban el sentimiento de culpabilidad que continúa experimentando todavía hoy, cuarenta años después de la muerte de aquel ser querido.

En lugar de recurrir a la venganza, Melendez se dirigió a los demás cabecillas de las bandas para negociar una tregua. Y el resto de la historia ya nos lo sabemos. La asamblea por la paz en Hoe Avenue no es muy conocida fuera del Bronx, pero muchos la consideran la base de una cultura que surgió allí mismo.

La tregua de las bandas permitió a la juventud del Bronx explorar los barrios vecinos, aventurarse en los territorios de otras bandas y participar en sus fiestas. Los Ghetto Brothers fueron los primeros en invitar a otras pandillas a su distrito, para lanzarse a una celebración con música y sin rencillas. «Teníamos que dar ejemplo», explica Melendez.

Aquella época relativamente pacífica presenció la eclosión de la cultura que conocemos hoy como hip hop. Dos años después de la tregua, Kool Herc introdujo su personalísimo estilo al aislar y prolongar las secuencias de break sirviéndose de un par de tocadiscos. Herc, inmigrante jamaicano cuyo verdadero nombre era Clive Campbell, era un exmiembro de los Cofon Cats a los que había pertenecido Melendez antes de fundar los Ghetto Brothers. Hoy se considera a Kool Herc como el padre del hip hop.

Otra figura clave en la eclosión de la cultura hip hop fue Afrika Bambaataa. Comandante de los Black Spades, había participado en la asamblea por la paz celebrada en Hoe Avenue, e inspirado por la tregua convirtió su banda en la primera crew de hip hop, la Universal Zulu Nation. «La tregua de pandillas instigada por Benjy fue algo muy fuerte, había llegado la hora de abandonar las armas y organizarnos», recuerda Bambaataa.

La transformación de los Black Spades, banda afroamericana en su mayor parte, es bastante similar a la de los Ghetto Brothers, que se transformó en una asociación comunitaria y en un grupo musical que combinaba el estilo de Sly and the Family Stone con ritmos latinos. Gracias a la atención mediática que obtuvo la tregua de 1971, los Ghetto Brothers grabaron Fuerza/Power, un álbum que llegó a ser disco de culto y que se reeditó en 2013 con motivo de su cuadragésimo aniversario.

Los legendarios Cold Crush Brothers, cuyo *frontman* Grandmaster Caz escribió parte de la letra de «Rappers Delight», fueron una de las crews originadas tras la tregua de Hoe Avenue y su primer agente (poco eficiente, según propia confesión) fue Joseph Mpa, el antiguo miembro de los Panteras Negras que había abordado a Benjy con la idea de una posible transformación de los Ghetto Brothers en organización.

A lo largo de los últimos tres años he sostenido decenas, si no centenares, de conversaciones con Benjy Melendez y otras personas implicadas en la asamblea por la paz de Hoe Avenue. Aunque hemos cambiado algunos nombres y modificado ciertos detalles, acabáis de leer la historia de Benjamin Melendez tal y como él la cuenta. La historia de la migración portorriqueña a Estados Unidos, el declive económico del South Bronx, el relato iniciático de un joven con identidades múltiples y conflictivas y, por encima de todo, un fragmento de la historia del Bronx que debe perdurar en la memoria de todos.

Julian Voloj, abril de 2014

AGRADECIMIENTOS

Multitud de personas han hecho posible la realización de este libro. Para empezar, he de dar las gracias a mi esposa, Lisa Keys, que me ha apoyado a lo largo de todo el proyecto, y a mis hijos Leon y Simon, con quienes comparto pasión por el grupo de música dibujado. Agradezco a mis padres que me inculcasen las nociones de curiosidad y respeto. Quiero expresar mi gratitud a Benjamin Melendez por compartir esta historia conmigo y a Claudia Ahlering por haber sabido ilustrar las ideas que tenía en mente. Muchas otras personas merecen todo mi reconocimiento. Dvora Myers, que dirigió mi atención hacia Benjy; Rita Esquenazi, Aimee Friedman, Matthew Flaming y Anthony Litton, que leyeron el guión y aportaron comentarios y sugerencias inestimables. He de darle las gracias también (desordenadamente) a Michael Kaminer, Joe Conzo, Joseph Mpa, Bill Leicht, Joe Schloss, Popmaster Fabel, Henry Chalfant, Alejandro Olivera, Jeff Chang y Christoph Bartolomäus, que prestaron su apoyo al proyecto, cada uno a su manera. Estoy muy en deuda con Chad Stayrook (Bronx River Arts Center) y con Yona Verwer (Jewish Art Salon), que me ayudaron a organizar las exposiciones en torno al proyecto cuando este se hallaba en curso; gracias a Alana Newhouse y a Matthew Fishbane de Tablet Magazine, Jeff Newelt de Heeb Magazine y Seth Kushner de TripCity, que me ayudaron a hacer que corriese la voz. Para terminar, debo darle las gracias a mi agente, Nicolás Grivel, que siempre ha creído en este proyecto, y a Célina Salvador, de ediciones Steinkis, que ha hecho posible su publicación.

Julian Voloj

Claudia Ahlering da las gracias a Julian Voloj, John Oliver Dörksen y al doctor Alexander Wiehart por su ayuda.